KB177972

삶은 하나의 바다가 되어

김나예 시집

나의 지난 사계절에게

수록 작품

봄

피어나는 꽃잎들이 내게 오라며
속삭인다

나는 아무런 저항 없이 그들과 얘기를
나눈다

살랑살랑 불어오는 바람이 나를
부른다

나는 살며시 그것의 품에 안긴다

아아, 나는 지금 한없이 봄이다

부러진 날개

세월이 지날수록

꿈을 잃고 희망을 잃는다

어릴 때 어른들은 먼 곳을 향해 나는
법을 가르쳐준다

그것으로 나는 연습을 열심히 하여
목적지에 도달하는 이들도 있는 반면,

날다 날다 지쳐 그만두는 이들도 있다

다시 한 번 더 해보지만

실패한다

아니, 어쩌면 실패밖에 없었을지도
모른다

왜냐하면 포기한 그 순간부터

그들은 목적을 잃어갔기 때문이다

인연, 그리고 인생

우리의 인생은 스쳐 지나가는
인연으로 메워져 있지 않나

지금 우리 곁에 있는 것들은 전부
재가 되어 사라지겠지

그렇게 인연들이 모두 우리를
벗어나면

우리의 인생도 텅 비워지겠지

그럼 난 슬픔에 잠겨 울리

두려움의 존재

꿈들이 산산조각을 내며 부서졌다.

나의 삶은 무엇으로부터 파생된 걸까.

어쩌면 처음부터 파도의 형태를 보고
겁 먹은 삶이 아니었는지도 모른다.

나는 세상에 처음 모습을 보이기
시작했을 때부터 나의 삶과 그 속의
꿈들을 사랑하리라 결심했지만,

나의 삶은 결코 내 것이 아닌 내면 속
두려움의 것이었다.

어두운 심해 속에서 나는 지금 무얼
하고 있는가.

남은 꿈의 조각들을 씹어 먹고
있는가.

아니, 어쩌면 그것들마저 두려움의
것일지도.

눈물 파괴

크나큰 울음이 부서지면 무슨 형태로
변할까

여전히 큰 슬픔일까

고요한 울음이 부서지면 어떤 형태로
변할까

여전히 조그마한 슬픔일까

아니, 슬픔에 정도라는 게 있긴 할까

어떤 상황이든 슬픔은 우리의 마음 속
깊이 휘젓는 소용돌이 같은 존재가
아닐까

그렇게 어떠한 울음이든 부서져도 다
같은 슬픔으로 남는 걸까

이른 봄

푸르던 잎들이 예쁘게 꽃단장을 했을
때

나는 나지막이 말합니다

" 벌써 꽃이 피었네. "

향기로운 봄바람은 나의 눈을 감게
하고

따사로운 햇빛은 다시 눈을 떠 봄을
보게 합니다

봄은 아무 소리도 없이 찾아오나
봅니다

우리가 지난 무언가를 서서히 잊을
무렵에

더없이 아름다운 봄이 오나 봅니다

걸어가기

달려가지 않고 걸어가는 거야

달리는 다른 이들을 발견한 너는
마음이 조급해지겠지

하지만 왜 걸어야 하는지 알아?

달리다 보면 넘어져서 쉽게 다치기
마련이고 눈 앞의 장애물을 보지
못해.

네가 만약 걷는다면, 너는 다칠 일도
없고 장애물에 방해받을 일도 없다는
거야.

천천히, 조금 더 천천히 걸어보자.

기억의 윤곽

불분명한 윤곽은 언젠간 잊혀지기
마련이다.

꿈도, 희망도, 기억도, 절망도, 슬픔도,
그 모든 것들이 말이다.

그것들의 테두리가 연하게 박히면
박힐수록

우리의 머릿속은 희미해져가는 기억
속에 그 테두리를 더 연하게 만들어

아예 그것을 지워버릴 수 있다.

반면에 분명한 윤곽은 쉽게 잊혀지지
않는다.

꿈도, 희망도, 기억도, 절망도, 슬픔도,
그 모든 것들이 말이다.

테두리가 진하면 진할수록 우리는 그
윤곽에 대한 기억을 붙잡으려 한다.

그러나 모든 것들의 윤곽을 진하게
만들어서는 안 된다.

우리가 떨쳐내고 싶어하는 분노와
절망 같은 것들의 윤곽은 연하게,

우리가 갖고 싶어하는 행복과 꿈 같은
것들의 윤곽은 진하게,

그렇게 좋은 기억들의 윤곽을
분명하게 만드는 것이다.

어두운 마음

슬픈 내면 속의 세상은 어떤 곳일까

비 온 뒤 무지개조차 없는 세상일까

매일 밤 누군가는 눈물을 흘리며

그 세상 속에서 무지개를 천천히 그려
나가고 있겠지

여름의 시작

초록빛 나무들이 바람에 흔들린다

올 여름은 청춘일까

아니면 그저 하나의 계절에 불과할까

눈을 감고 가만히 들어본다

새들의 지저귐을,

아이들의 시끌벅적한 소리를,

어디선가 들려오는 바람의 소리를.

아아, 나는 여름의 시작에 있었다

검은색의 기억

차라리 누군가의 망각을 보고 있었던
것이라면

얼마나 좋을까

지우고 싶은 기억은 좀처럼 지워지지
않고

되려 영원히 떠올리고 싶은 기억을
갉아먹는다

그렇게, 그렇게

나의 머릿속엔 그 때 그 기억만
남겠네

흰색을 쉽게 덮어버리는 검은색처럼

좋은 기억은 사라져버리고 말겠네

언젠가 내 마음을 알게 될까

나의 마음은

밤의 어둠에 기대어 있는 초승달에게
물어도

알 수 없네

당신의 마음은

햇볕이 내리쬐는 낮에 있을까
하다가도

태양이 잠에 들고 달이 눈을 뜨는 그
순간을 상상하게 되네

가로등 불빛 아래 남겨진 단 하나의

빛

그것 역시 나의 마음을 알 수 없네

인생이란 역설

가장 잊고 싶은 것은 지난날의 기억들

가장 소중한 것 역시 지난날의 기억들

가장 미운 것은 나 자신

가장 애틋한 것 역시 나 자신

가장 버리고 싶은 것은 추억이 담긴
물건들

가장 간직하고 싶은 것 역시 추억이
담긴 물건들

가장 살아가고 싶은 것은 지금

가장 사라지고 싶은 것 역시 지금

행복의 의미

우리는 행복의 의미를 언제쯤 알 수
있을까

내가 좋아하는 것을 선물받을 때

모든 일이 잘 풀릴 때

여행 일정이 잡힐 때

행복을 느낄 때 행복이 무엇인지를
깨닫게 된다고 생각한다

하지만 우리는 그 순간들로부터
다가오는

소중한 것들에 대한 깨달음을 얻을 때

비로소 행복의 뜻을 알게 된다.

저 멀리 사라지고 싶은 이들에게

깊은 밤이 찾아오면

문득 내가 사라지는 상상을 한다

내가 사라진다 한들

잠들지 않는 사람들의 불은 켜져 있을
것이고,

여전히 미소 지으며 살아가는
사람들이 있을 것이며,

그리하여 나의 세상만이 어딘가로
도망칠 것이다

나의 세상이 이 세상을 벗어나 다른

곳으로 가는 것은 하나의 도약이라 할
수 있지만

저 먼 곳은 넓디 넓은 미지의
세계이며,

나의 세상은 결국 길을 잃게 될
것이다

그렇다면, 내가 사라지기 전의 그것을
생각해보자

나의 세상이 힘차게 뛰어오른다 한들

마주하는 세상은 미지의 곳이 아닌
익숙한 곳이기에

길을 잃지 않아도 된다

그러니, 살아 있자.

모든 것이 쉬워진다면

모든 게 다 쉬워졌으면 좋겠다

문장 하나하나를 섬세하게 표현하는
게,

편견을 가지지 않고 말하는 게,

춤을 물 흐르듯이 추는 게,

다 쉬워졌으면 좋겠다

하지만 그런 모든 것들이 다 나의
손아귀에서 쉬워진다면,

단순한 문장만을 쓸 줄 아는 사람을
이해하지 못하고

편견을 가진 사람을 쉽게 타이르지
못해 되려 화만 내고

춤이 유연하지 못한 사람을 한심한
눈빛으로 쳐다보게 될 것이다

그러므로 모든 것이 쉽게 이루어지길
바라면서 그 모든 것들을 잘하려고
하지 마라

모든 것이 쉬워진다면 세상으로부터
새로운 것을 얻고 타인을 조금이라도
이해하지 못하게 될 것이다.

괴로움의 탄생

괴로움이라는 헤아릴 수 없는 감정은
작지만 큰 것들로부터 다가온다
빛이 자신들만을 위해 존재하는
길라잡이가 아닌
그저 과학적인 현상이었다는 것을
깨달은 초기의 인류가 그랬듯이
당연하다 여기던 것들이 불가피하게
깨져 산산조각이 나 버렸을 때,
우리는 비로소 괴로움이라는 감정을
맛보게 되는 것이다

니체의 여름

추억의 여름도 철학이 될 수 있을까

소중한 나의 누군가와 보낸 뜨거운
계절도 돌고 돌 수 있을까

그런 기억의 반복 또한 니체의 사상이
될 수 있을까

우울증

낭만이 사라진 지 오래였다

삶이 장맛비를 쏟아붓는 하늘 같았다

하늘을 가르는 천둥번개가 쳤다면
뭔가 달라졌을까

현실로부터 도망칠 수 없다는 걸 알고
난 뒤

나의 세상은 달라졌다.

길 잃은 것들

파도가 일렁이면

바다가 얘야, 얘야

위로하겠지

비가 내리면

하늘이 얘야, 얘야

달래겠지

나비가 가만히 있으면

꽃이 얘야, 얘야

위안을 주겠지

내가 조용히 울면

누가 얘야, 얘야

위로의 말을 건넬까

내 곁에는 누가 있을까?

개화

꽃이 필 때가 언제일까 하는 물음에

만약 봄이라고 한다면

당신의 답은 틀렸습니다

꽃이 필 때는

당신이 웃을 때입니다

당신이 미소를 지을 때면

온 세상이 환하게 빛나

비로소 꽃이 피기 시작합니다

그렇기에 꽃이 필 때는

당신이 미소 지을 때입니다.

먼지

회한이 짙은 삶에 감히 별이 피어날
수 있겠는가?

먹구름이 낀 듯이 우울하고 어둡다.

사랑을 주고 감싸주기에는 어리석은
존재이다.

어디서, 어떻게 태어났을까.

오늘도 그 이는 세상 밖을 떠도네.

그때 그 소년과 소녀는

그때를 떠올리면 왜 자꾸만 웃음이
나는 건지

왜 소중한 걸 상실한 헛웃음이 아닌

즐겁고 행복한 웃음인 건지

지금의 우리에게 묻고 싶다

너는 웃음이 나는지, 관심이 없는지
모르지만

나는 여전히 그때 속에 살고 있는
건지

그렇다면 왜 그때 그런 결정을 했는지

과거의 우리에게 묻고 싶다

진정한 마음이 있다면 버리지 않는
것이

사랑이라는 걸 알고 있는지.

아이의 눈물 그리고 세상

아아, 저기 한 아이가 울고 있다

돌에 걸려 넘어졌다고 운단다

얘야, 아무렴 괜찮단다

너를 지키기 위해 존재했던 세상이

아주 잠깐 실수한 것뿐이란다

그러니 걱정 마라

모든 게 다 지나가기 마련이다.

잃어버린 청춘

잃어버린 청춘에도 꽃이 피는가

마치 가면을 쓴 배우들 같다

얼굴에는 미소가 피었지만 마음에는
외로움이 자라난다

우리의 청춘은 길을 잃기 쉽다

한순간의 실수와 한순간의 잘못된
생각으로

우리의 청춘은 우리로부터 도망간다.

만약 잃어버린 청춘에 꽃이 핀다면

그 꽃은 순식간에 시들어버릴까.

사랑만이 할 수 있는 것

아아, 아픔이 너무 크다

당신은 얼마나 오랜 시간 아파왔는가

비수를 꽂는 사람들의 말에,

차마 드러낼 수 없는 당신의 고통에,

자신을 무너뜨릴 것만 같은 세상에

당신은 얼마나 오랫동안 아파왔는가

당신을 어린 아이 같은 순수한
마음으로 토닥이고 싶다

아, 이것이 사랑인가

사랑만이 할 수 있는 일인가

당신이 행복했으면 좋겠다

아니, 당신이 조금 더 나아지기만
해도 나는 당신의 곁에서 마음 편히
웃을 수 있다

이것이 바로 사랑만이 할 수 있는 일
아닌가?

사랑시

1

아무것도 보이지 않는 어둠 속에서

내가 유일하게 떠올릴 수 있는 건
너와의 추억이야

적당히 따뜻한 바람, 노을빛으로 물든
네 웃음, 말하지 않아도 알 수 있는
고요함.

아아, 더 이상 돌아갈 수 없어

그렇지만 여전히 너를 그리워해.

2

가끔 죽음의 시간에 대해 생각해

매일 마주하던 이 세상과의 작별이
얼마 남지 않은 순간에

나는 어떤 느낌일까

너는 어디쯤 있을까

아, 어쩌면 난 눈물을 흘릴지도 몰라

너의 잔상이 그 찰나의 순간에도
떠오를지 몰라.

여름의 밤바다

어두운 파도가 나를 감싼다

더 없이 우울하다

문득 내 삶의 존재를 떠올린다

아무것도 기억에 남는 게 없다

공허한 여름이다.

숨겨진 존재

깊은 파도가 나를 붙잡으려 하면

나는 그저 조용히 있는다

아무도 나의 존재를 알지 못한다

어두운 진주가 된다면

더 이상 모래 한 줌이라는 이름으로
살아가지 않아도 되겠지

나를 숨기면서도 반짝거리는 사람이
되고 싶다

여전히 아침은 황홀하다

하지만 누구의 것이겠는가?

내겐 이 아침이 여전히 두렵다.

회고록

청춘이라는 시간을 말미암아

나는 왜 혼자 이렇게 떠도는 건지

사랑이라는 건 참 이해할 수 없다

바람 속에 날던 새들도 웃을 꼴이다

한때 사랑했던 이들이여

시간이 흐르자 아무 일 없었다는 듯
고요한 공기가 남은 게

얼마나 어이가 없는지, 얼마나
안타까운지

나는 오늘도 땅이 꺼지라 한숨을
내뱉는다.

소중했던 나의 낭만과 그를 싣고 오는 가을

찬란했던 그 모습은 하나의
청춘이었던가,

나의 생은 영원으로 이루어져
있었던가.

가을이 다가오면 수많은 행성들은
빛을 내기 시작하고

별들의 속삭임은 그 날의 기억 속에서
나를 잠들게 한다.

색이 바랜 문장과 수차례 입에 담긴
언어들은 하나의 혜성이 되어

어둠뿐이었던 나의 밤을 살며시
비춘다.

일기 속에 적어 놓았던 그 낭만록은

서늘한 가을바람 되어 내게로
되돌아올까.

삶은 하나의 바다가 되어

얼마나 많은 삶들이 숨을 쉬고 있을까

세상에서 가장 빠른 건 빛이라는데

빛은 계속 나아가 누군가의 슬픔까지
비춰줄 수 있을까

걷잡을 수 없는 마음 속에 스쳐
지나가는 기억들은

마치 바다 위에 눈물을 쏟아내는 시간
같다

커다란 파도가 나를 덮치려 하면

맨발이 되어도 나는 도망치기 바쁠

것이다

그리고 결국 더 큰 바다가 나를
기다리겠지

세상의 이치는 나의 어리석음과
다르다

바다는 파도로 이루어져 있다

파도를 두려워하지 말 것

파도로부터 도망치려 한다면 결국
바다를 무서워하게 된다

그 순간 나의 슬픔은 되돌릴 수 없을
만큼 방대해진다.

청춘, 사랑, 그리고 계절

노을은 우리의 곁을 떠나고

요동치는 물결에 비친 두 사람은 그저
멍하니 계절을 바라볼 뿐이다

청춘이 가끔 미워지는 때가 있다,

시간이 지나도 쓰라린 가슴은 아물
줄을 모르고

그저 서로를 바라볼 수밖에 없는,
하나의 미련 같은 것

우리는 그런 황혼 속에 있었나 보다

사랑이 지나가면 차가운 바람이

불어오고

그 바람을 견디면 서로를 다시 마주할
수 있는 봄이 온다

결국 청춘은, 돌고 돌아 진정한
노을을 함께 맞이할 수 있는 것.

소중함

살아가면서 잊지 말아야 할 것들이
있다

화창한 봄날에 다가온 일련의 꿈과
같은,

나의 기억을 사로잡는 무언가.

야속하게도 그것은 시간이 지날수록
더 빨리 잊혀진다

꽃처럼 피고 태양처럼 저물어라

그래, 너무 행복했던 꿈은 원래 금방
잊히는 법.

별들의 이치

수많은 별들이 고요한 어둠 속에
고여있다

영원히 간직하고픈 하나의 기억이다

한때 사랑했던 사람의 웃음소리도,
가장 좋아하던 시의 구절도, 내
주변을 에워싸던 따스한 공기도

모두 사라지고 그저 나만 이 풍경을
바라본다

나의 추억들은 오랜 시간 동안 나의
곁에 있었지만 금세 나를 떠났고

지금 이 고독의 시간은 한없이 짧지만

영영 잊지 못할 것이다

별들이 써내려간 운명은 이리도
비참한 것일까

사랑하는 것들은 언젠간 나의 곁을
떠나고,

견딜 수 없는 것들은 언제 나를
떠날지 알 수 없다.

날씨

우산처럼 사랑하는 사람이 되고 싶다

누군가의 끝없는 슬픔까지
받아들이는,

그런 사랑을 하는 사람이 되고 싶다

저녁 노을이 비춰오지 않고 한없이
조용할 때

당신은 늘 우울하다

슬픔은 차갑고 그렇기에 쉽게
따뜻해질 수 없다

대신 내가 그 차가움을 느낀다면,

당신은 햇빛으로 가득한 사람이 될 수 있을까?

함께 하던 계절

마음을 간질이던 것

소중함을 일깨워주던 것

밤하늘에 수놓인 별들이 수만 송이의
꽃들처럼 다가올 때

비로소 우리는 함께가 되는 걸까

낭만적인 소설 한 편처럼 사랑을
써내려갈게

이 도시의 불빛이 영원히 꺼지더라도
우리는 영원하자

가만히

더 이상 바꿀 수 없는 것들에 대해
얘기하지 말자.
달은 제자리에서 어둠을 비추고
태양은 매일 어김없이 빛난다
그것들은 얼마나 아름다운가?
후회를 반복해도 한숨을 늘어놓아도
더 이상 바꿀 수 없는 것들은 그대로
아름답다.

나의 삶 속 무엇

한 편의 시는
누군가의 노래가 되고
하나의 추억은
누군가의 삶의 이유가 되는 것처럼
나는 누군가의 무엇이 될 수 있을까
아무리 강한 바람이 불어와도
흔들리지 않을 만큼의 무엇이 될 수
있을까
나의 삶의 목표는 그 무엇이 되기
위한 여정을 끝마치는 것일까

눈사람

정 많은 사람아
시간이 지나면 나를 잊어주련
작별을 해야 하면 내게 손 내밀지
말아주련

어둠이 걷히면 우리 함께 했던
시간들은 저 멀리 가버리고
당신은 서서히 나의 곁을 떠난다
그런 당신은 바보같이 아무 말 없이
사라져버린다
나 홀로 당신과 함께했던 계절을
떠올린다
머지않아 나는 당신을 기억 속에서
지워버린다

그러니,
나와 한 계절을 함께 한 사람아

시간이 지나면 당신도 나를 잊어주련
작별을 했으니 손 내밀지 말아주련.

"저 멀리 사라지고 싶은 이들에게
전하는 시집"

삶은 하나의 바다가 되어

발 행 | 2023년 12월 11일
저 자 | 김나예
펴낸이 | 한건희
펴낸곳 | 주식회사 부크크
출판사등록 | 2014.07.15.(제2014-16호)
주 소 | 서울특별시 금천구 가산디지털1로 119
SK트윈타워 A동 305호
전 화 | 1670-8316
이메일 | info@bookk.co.kr

ISBN | 979-11-410-5884-5

www.bookk.co.kr